LUDOVICO EINAUDI

Duetti

per violino e viola

RICORDI

NR 134734
ISMN 979-0-041-34734-9

Ludovico Einaudi
DUETTI
per violino e viola

a Luciano

I

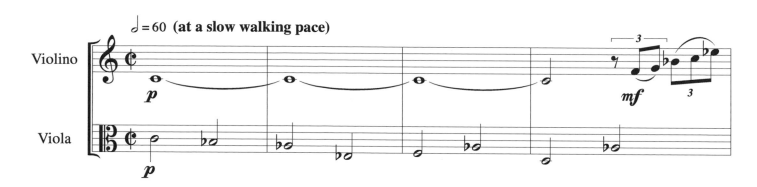

134734

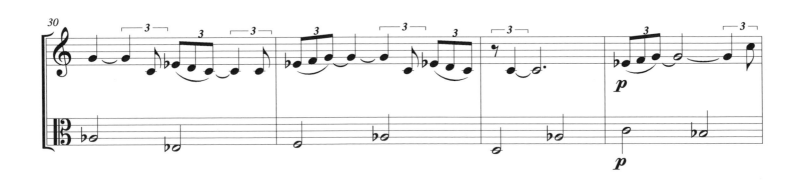

durata: 1'15"

Milano, 10 ottobre 1985

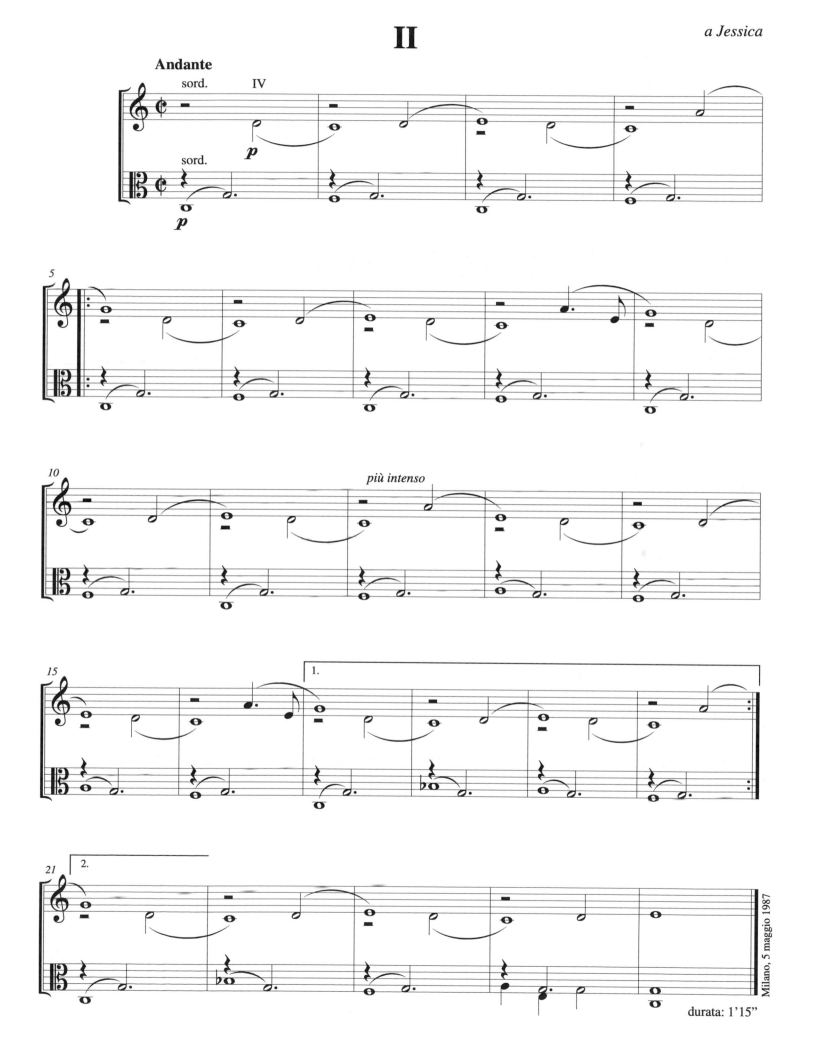

III

a Livia e Aimone

134734

Milano, gennaio 1986

durata: 1'15"

IV

ad Andrea J.

Milano, marzo 1989

durata: 2'40"

V

a Yael e Lorenzo

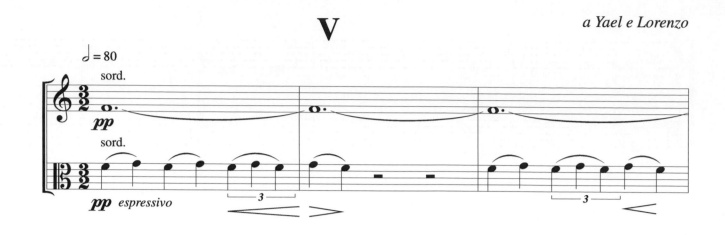

134734

Milano, aprile 1989

durata: 2'15"